Visita Interiora Terrae, Rectificandoque, Invenies Occultum Lapidem

Didier Mosèle

Didier Mosèle est un célibataire à la quarantaine sportive. Il vit parmi ses livres et ses manuscrits. Attaché au Ministère de la Culture, dirigeant une équipe internationale à la fondation Meyer, le professeur Didier Mosèle travaille depuis neuf ans un rouleau de parchemin classé 4Q456-458. Il a repris les études amorcées par le Père Benoît, le Professeur Strugnelle, le Dominicain Roland de Vaux, le Docteur Satfford et bien d'autres chercheurs qui ont consacré leur existence à reconstituer pièce par pièce des mètres de parchemins déchirés.
C'est dans 4Q456-458 que Mosèle découvre que Jésus ne serait pas mort sur la croix.

Francis Marlane

Francis Marlane est âgé de quarante-cinq ans, en instance de divorce, auteur au succès modeste mais remarqué de nombreux ouvrages historiques, photographe amateur aquarelliste délicat et franc-maçon. Didier Mosèle rencontre cet historien lors de leur initiation en franc-maçonnerie qui a s'apprécient au point que Mosèle propose à Marlane de rejoindre l'équipe internationale qu'il dirige à la Fondation Meyer où l'on déchiffre le rouleau 4Q456-458. Marlane est alors assassiné.

Josiane Marlane

Elle vit séparée de son mari avec qui elle continue d'entretenir des rapports d'amitié étroits.
Elle se rapproche de Didier Mosèle à la mort de Francis pour enquêter sur la disparition de celui-ci. L'un et l'autre sont persuadés que ce sont les Gardiens du Sang qui ont assassiné Francis.

Norbert Souffir

Membre de l'équipe de Didier Mosèle, ce vieux chercheur sait décrypter presque toutes les langues que tous les déserts du monde avaient cru pouvoir ensabler à tout jamais. Il lit les textes esséniens comme s'il s'agissait de vulgaire français ou de simple anglais.

L'Inconnu

Il se substitue à Francis Marlane en devenant son messager. Il apporte en effet régulièrement des lettres à Didier Mosèle. Des messages écrits par Francis avant sa mort.

Martin Hertz

Vénérable de la loge maçonnique Eliah, c'est lui qui a initié Mosèle et Marlane.
Cet avocat à la retraite détient un manuscrit légendaire, le Testament du Fou, un évangile écrit en partie par le Christ.
Martin Hertz appartient aussi à une loge mythique, dissidente et occulte : la Loge Première que l'on dit avoir été fondée par Jésus.

Le Pape Jean XXIV

Le vieux Pape tarde à mourir. De son lit, aidé par le cardinal de Guillio, il se tient informé de l'état des études de Didier Mosèle qui risquent d'ébranler les fondations mêmes de l'Eglise en poursuivant ses recherches sur la véritable identité du Christ.

Monseigneur de Guillio

LE TRIANGLE SECRET

TOME I
LE TESTAMENT DU FOU

DIDIER CONVARD

GILLES CHAILLET - DENIS FALQUE - CHRISTIAN GINE - PIERRE WACHS

Couleurs : PAUL

Couverture : ANDRÉ JUILLARD

Glénat

LE TRIANGLE SECRET

www.glenat.com

© 2000 Editions Glénat - BP 177 - 38008 Grenoble cedex
Tous droits réservés pour tous pays
Dépôt légal : Avril 2000
Achevé d'imprimer en avril 2005 en France par pollina s.a., 85400 Luçon - n° L96687

PUISQU'IL EST L'HEURE
ET QUE NOUS AVONS L'ÂGE,
OUVRONS LES TRAVAUX
DE NOTRE LOGE...

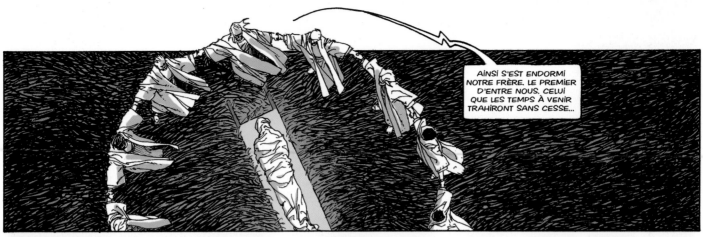

AINSI S'EST ENDORMI NOTRE FRÈRE. LE PREMIER D'ENTRE NOUS. CELUI QUE LES TEMPS À VENIR TRAHIRONT SANS CESSE...

DE NOTRE COMMUNAUTÉ IL SE FIT L'ARCHITECTE. IL NOUS A FAIT PARTAGER SON SECRET EN NOUS IMPOSANT DE NE JAMAIS LE RÉVÉLER...

NOS LÈVRES DEMEURERONT CLOSES... NOUS EN AVONS FAIT LE SERMENT. POUR CELA, NOUS SERONS PERSÉCUTÉS, HUMILIÉS ET REJETÉS PAR TOUS. MÊME NOS PROPRES PARENTS SE DÉTOURNERONT DE NOUS.

ZACHÉE, MONTRE-NOUS L'ANNEAU. TU TE SOUVIENS OÙ TU AS CREUSÉ LA TOMBE, N'EST-CE PAS ? TU AS BIEN SUIVI MES INSTRUCTIONS ?

OUI, JEAN... LÀ, À MOINS DE CENT PAS, SOUS CET ACACIA. EN DEUX ANS, LA MOUSSE ET L'HERBE ONT EU LE TEMPS DE LA RECOUVRIR.

2

APPROCHE, MON FILS, J'AURAI BESOIN DE TES JEUNES BRAS POUR SOULEVER LA DALLE.

NOUS NE SERONS PAS TROP DE TROIS !

VOICI L'ANNEAU.

BEL OUVRAGE, FRÈRE... QUI VIENDRA CHERCHER UN TOMBEAU AU CŒUR DE CETTE FORÊT ?

COMMENT AS-TU FAIT POUR SCELLER CETTE TOMBE, ZACHÉE ? TU ÉTAIS SEUL ET...

UNE BONNE CORDE DE CHANVRE, CETTE BRANCHE ET UN PEU D'INTELLIGENCE M'ONT PERMIS DE CONFECTIONNER UN PALAN EFFICACE.

QUE TON SECRET DEMEURE AVEC TOI, MAÎTRE... MAUDITS SOIENT CEUX QUI TENTERONT DE VOLER TA PAROLE POUR LA DÉFORMER ! BÉNI SOIS-TU, MON FRÈRE, POUR L'ENSEIGNEMENT QUE TU NOUS AS LAISSÉ EN HÉRITAGE...

PUISQU'IL EST L'HEURE ET QUE NOUS AVONS L'ÂGE, OUVRONS LES TRAVAUX DE NOTRE LOGE...

AINSI S'EST ENDORMI NOTRE FRÈRE. LE PREMIER D'ENTRE NOUS. CELUI QUE LES TEMPS À VENIR TRAHIRONT SANS CESSE...

DE NOTRE COMMUNAUTÉ IL SE FIT L'ARCHITECTE. IL NOUS A FAIT PARTAGER SON SECRET EN NOUS IMPOSANT DE NE JAMAIS LE RÉVÉLER...

NOS LÈVRES DEMEURERONT CLOSES... NOUS EN AVONS FAIT LE SERMENT. POUR CELA, NOUS SERONS PERSÉCUTÉS, HUMILIÉS ET REJETÉS PAR TOUS. MÊME NOS PROPRES PARENTS SE DÉTOURNERONT DE NOUS.

ZACHÉE, MONTRE-NOUS L'ANNEAU. TU TE SOUVIENS OÙ TU AS CREUSÉ LA TOMBE, N'EST-CE PAS ? TU AS BIEN SUIVI MES INSTRUCTIONS ?

OUI, JEAN... LÀ, À MOINS DE CENT PAS, SOUS CET ACACIA. EN DEUX ANS, LA MOUSSE ET L'HERBE ONT EU LE TEMPS DE LA RECOUVRIR.

2

APPROCHE, MON FILS, J'AURAI BESOIN DE TES JEUNES BRAS POUR SOULEVER LA DALLE.

NOUS NE SERONS PAS TROP DE TROIS !

VOICI L'ANNEAU.

BEL OUVRAGE, FRÈRE... QUI VIENDRA CHERCHER UN TOMBEAU AU CŒUR DE CETTE FORÊT ?

MON TRÈS CHER DIDIER, QUAND VOUS ÉCOUTEREZ CETTE CASSETTE, JE NE SERAI SANS DOUTE PLUS DE CE MONDE. CEUX QUI ME TRAQUENT VONT BIENTÔT ME DÉBUSQUER, ET IL ME RESTE TROP PEU DE TEMPS POUR RELATER LES DERNIERS ÉVÉNEMENTS QUI M'ONT CONDUIT AU SEUIL DE LA MORT...

LES TUEURS SONT SUR MA PISTE DEPUIS MON DÉPART DE ROME D'OÙ JE VOUS AI ENVOYÉ MA DERNIÈRE LETTRE... CELLE-CI N'ÉTAIT-ELLE PAS TROP ÉNIGMATIQUE ? AVEZ-VOUS RÉUSSI À LA DÉCODER ?

SOUVENEZ-VOUS... JE VOUS AI DIT, JUSTE AVANT DE VOUS QUITTER, QUE J'EMPORTERAIS CINQ ENVELOPPES AVEC VOTRE ADRESSE. CINQ ! POUR NOUS RAPPELER L'ÉPOQUE OÙ NOUS AVONS ÉTÉ ÉLEVÉS AU GRADE DE COMPAGNON DANS NOTRE LOGE MÈRE "ELIAH"... CINQ ! LE CHIFFRE SYMBOLIQUE DE CE DEGRÉ AU COURS DUQUEL LE MAÇON DOIT VOYAGER.

OUI, J'AI TROUVÉ ! J'AI VU LA LUMIÈRE. JE VEUX VOUS PRÉSERVER, MON AMI... JE NE VOUS LIVRERAI PAS LA VÉRITÉ. MAUDISSEZ-MOI, MAIS VOUS NE DEVEZ PAS SAVOIR ! JAMAIS ! ABANDONNEZ NOTRE QUÊTE, JE VOUS EN CONJURE ! FERMEZ TOUS VOS LIVRES, BRÛLEZ-LES ET SOUFFLEZ LEURS CENDRES AU VENT. OUBLIEZ TOUT CE QUE JE VOUS AI DIT. OUBLIEZ !

JE ME DOUTE QUE VOUS VOUS ARRÊTEREZ AU CACHET DU TIMBRE OBLITÉRÉ DE CE DERNIER ENVOI. NE VOUS Y FIEZ PAS TROP ! RESTEZ EN DEHORS DE CETTE FARCE MACABRE. PAR NOTRE SERMENT, PAR NOTRE INITIATION, NE SUIVEZ PAS MON EXEMPLE.

NE GARDEZ DE MOI QUE LE MOT QUE TOUT PROFANE QUI DEVIENT MAÇON LIT POUR LA PREMIÈRE FOIS DANS L'OMBRE DU TEMPLE... CE MOT DONT JE COMPRENDS AUJOURD'HUI LE SENS RÉEL: V.I.T.R.I.O.L... QUI RÉSUME CETTE SIMPLE PHRASE : "VISITA INTERIORA TERRAE, RECTIFICANDOQUE, INVENIES OCCULTUM LAPIDEM"(1).

LA PIERRE, JE L'AI TENUE DANS MES MAINS... LA PIERRE DU TOMBEAU ! J'AI SOULEVÉ LA PIERRE DU TOMBEAU ! JE N'AURAIS PAS DÛ REGARDER CE QUE CONTENAIT CETTE FOSSE QUE L'HISTOIRE DEVRA TOUJOURS IGNORER... NE CORRIGEZ RIEN, SURTOUT, DIDIER ! NE CHERCHEZ NI LA PIERRE NI LE FRÈRE !

ADIEU, MON TRÈS CHER FRÈRE. VOTRE AMI QUI S'EST PERDU, FRANCIS.

(1) "VISITE L'INTÉRIEUR DE LA TERRE, ET EN RECTIFIANT, TU TROUVERAS LA PIERRE OCCULTE."

MARTIN ?...
ICI MOSÈLE...
EXCUSEZ-MOI DE VOUS
DÉRANGER À CETTE
HEURE. JE SOUHAITERAIS
VOUS PARLER....
AU PLUS TÔT.

OUI, OUI...
C'EST TRÈS
GRAVE. JE NE
PEUX RIEN DIRE
AU TÉLÉPHONE.
JE VOUS EN PRIE,
ACCEPTEZ-VOUS
DE ME RECEVOIR ?

UN INDIVIDU SORT
DU N°33... C'EST LUI.
JE CONFIRME, C'EST BIEN
DIDIER MOSÈLE.

IL VA TRAVERSER POUR PRENDRE
SA VOITURE QU'IL A GARÉE EN FACE
TOUT À L'HEURE.
C'EST
LE MOMENT !

CES DINGUES
ONT DÉLIBÉRÉMENT
CHERCHÉ À ME
FAUCHER !

JE N'AURAIS JAMAIS
DÛ LUI PROPOSER
CE POSTE
IL Y A NEUF ANS...

NEUF ANS PLUS TÔT...

MES FÉLICITATIONS, MES FRÈRES ; PUISQUE C'EST AINSI QUE L'ON VOUS APPELLERA DÉSORMAIS ! BIENVENUE DANS LA LOGE ELIAH ! JE CROIS QUE VOUS VOUS PLAIREZ PARMI NOUS.

À NOUS DE NOUS PLAIRE AVEC VOUS, SURTOUT ! MAIS IL PARAÎT QUE LES FRANCS-MAÇONS SONT TOLÉRANTS, ALORS...

LA TOLÉRANCE ? UNE QUESTION DE TEMPS ET D'HABITUDE.

DONC, SI J'AI BIEN COMPRIS CETTE CÉRÉMONIE, LE FAIT D'AVOIR ÉTÉ INITIÉS ENSEMBLE FAIT DE NOUS DES "JUMEAUX" ?

OUI... JE VOUS AVOUE ÊTRE ENCORE SOUS LE CHOC ! JAMAIS JE N'AURAIS IMAGINÉ ÊTRE AUSSI ÉMU ET INTÉRESSÉ PAR UN QUELCONQUE RITUEL !

C'EST AUSSI PARCE QUE CE N'EST PAS UNE CÉRÉMONIE COMME LES AUTRES. CELLE-CI POSSÈDE LES INDÉFECTIBLES VERTUS DE LA TRADITION. VOICI LE LIANT DE LA SAUCE !

SANS DOUTE SUIS-JE TROP NOVICE POUR EN GOÛTER LE SEL...

DIDIER ET FRANCIS, À MA DROITE.

À LA DROITE DE DIEU LE PÈRE !

DIEU ? POUR VOUS PEUT-ÊTRE... POUR MOI, C'EST LE GRAND ARCHITECTE DE L'UNIVERS.

LEVONS NOS VERRES EN L'HONNEUR DE NOS DEUX NOUVEAUX FRÈRES. SOUHAITONS-LEUR DE TROUVER PARMI NOUS QUELQUES RÉPONSES À LEURS QUESTIONS. QU'ILS SACHENT QUE LA LOGE ELIAH S'ENRICHIT DE LEUR PRÉSENCE !

À NOS APPRENTIS, BUVONS !

BUVONS !

EH BIEN, BUVONS ! À LA VÔTRE, MON... MON FRÈRE !

N'OUBLIEZ PAS : "JUMEAU !"

8

PEU APRÈS...

... LES ROULEAUX DE LA MER MORTE ?

CE NE SONT PAS TOUS DES ROULEAUX DE CUIVRE. IL A ÉTÉ TROUVÉ AUSSI DES PARCHEMINS À KHIRBET QUMRÂN... CERTAINS RONGÉS AUX TROIS QUARTS PAR LES RATS ! DES MÈTRES ET DES MÈTRES DE MANUSCRITS QUI PRÉFIGURENT LES ÉVANGILES !

ET VOTRE TRAVAIL, DANS CETTE AFFAIRE ?

LA FONDATION MEYER, SOUS LA TUTELLE DE L'ÉCOLE BIBLIQUE DE JÉRUSALEM, M'A CONFIÉ LA RESTAURATION D'UN ROULEAU NUMÉROTÉ 4Q456-458. DATÉ PAR LE GÉNÉTICIEN HENRI SQUALLER DE L'UNIVERSITÉ DE ROCKEFELLER, CE PARCHEMIN AURAIT ÉTÉ RÉDIGÉ CINQUANTE ANS APRÈS LA MORT PRÉSUMÉE DU CHRIST.

EN TANT QU'HISTORIEN PARTICULIÈREMENT MANIAQUE CONCERNANT CETTE ÉPOQUE, C'EST COMME SI VOUS ME PARLIEZ DU GRAAL, DIDIER !

VOUS ÊTES TROP RÊVEUR, FRANCIS... IL NE S'AGIT QUE DE LONGUES LITANIES RELIGIEUSES OU DE SÉVÈRES CODEX QUE D'AUSTÈRES ESSÉNIENS ONT RÉDIGÉS DANS CE FAMEUX MONASTÈRE DE QUMRÂN.

SI CELA VOUS INTÉRESSE, JE VOUS CONVIE À VISITER MON SERVICE CETTE SEMAINE. J'AI LU VOS LIVRES ; VOUS POURRIEZ PEUT-ÊTRE ME DONNER UN COUP DE MAIN ? LA CAUTION D'UN SPÉCIALISTE DES SAINTES ÉCRITURES TEL QUE VOUS RÉJOUIRA MA DIRECTION.

J'Y SOUSCRIS IMMÉDIATE-MENT ! JE SIGNE TOUT CONTRAT DE MON SANG SUR-LE-CHAMP !

CELA S'APPELLE UN PACTE...

MERCREDI ? CELA VOUS CONVIENT-IL ? JE VOUS ATTENDS SUR LE COUP DE 10 HEURES À LA FONDATION MEYER, PLACE D'ALLERAY. JE VOUS FERAI UN TOPO SUR MON BOULOT ET VOUS PRÉSENTERAI MON ÉQUIPE... ET BOGAZ, SURTOUT !

QUI EST BOGAZ ?

VOUS SEREZ SURPRIS. SANS LUI, 4Q456-458 RESTERAIT UN ÉNIGMATIQUE BOUT DE VÉLIN GRIBOUILLÉ.

DANS CE CAS, J'AI HÂTE DE LE CONNAÎTRE. À MERCREDI, DIDIER

ON DIRAIT QUE LE GRAND ARCHITECTE S'EST AMUSÉ À VOUS RÉUNIR, FRANCIS MARLANE ET VOUS, N'EST-CE PAS ? JE VOUS ÉCOUTAIS TOUS LES DEUX, À TABLE. ON AURAIT CRU DEUX ADOLESCENTS PASSIONNÉS LANCÉS DANS UN GRAND JEU DE RÔLES.

LE HASARD A SOUHAITÉ EN EFFET QUE JE SOIS INITIÉ EN MÊME TEMPS QUE L'UN DES HISTORIENS LES PLUS ORIGINAUX DU MOMENT.

VOUS VERREZ... AVEC LE TEMPS, L'INITIATION OUVRE BIEN D'AUTRES MYSTÈRES. CETTE SOIRÉE N'AURA DÉSORMAIS PLUS DE FIN. MOI, J'AI ÉTÉ INITIÉ IL Y A QUARANTE-DEUX ANS. C'ÉTAIT HIER !

JE CROIS COMPRENDRE...

LE MERCREDI SUIVANT...

BONJOUR FRANCIS. QUELLE PONCTUALITÉ ! VOICI AU MOINS UNE DIFFÉRENCE DANS NOS CARACTÈRES RESPECTIFS.

JE VOUS L'AI DIT... JE SUIS UN PEU PSYCHORIGIDE ! MA FEMME S'EN PLAINT BEAUCOUP. JE VOUS RACONTERAI...

CETTE FONDATION EST AUSSI BIEN GARDÉE QUE LA BANQUE DE FRANCE.

LE SYNDROME PARANOÏAQUE DE MES DIRECTEURS ! TOUT CELA PARCE QUE NOUS AVONS REÇU QUELQUES LETTRES ANONYMES DE MENACES, PROVENANT SANS DOUTE D'UN INTÉGRISTE CINGLÉ.

VOICI LA SALLE DU "DÉPOUILLAGE". C'EST LÀ QUE LES PARCHEMINS SONT DÉROULÉS, TRAITÉS ET IDENTIFIÉS PAR DES NUMÉROS DE CODE AVANT D'ÊTRE SCANNÉS. DES COPIES SONT AUSSITÔT ENVOYÉES À MON SERVICE OÙ JE SUIS CHARGÉ DE RECONSTITUER LE PUZZLE.

MAIS IL DOIT MANQUER UNE QUANTITÉ IMPORTANTE DE MAILLONS DANS LA CHAÎNE. J'AI APPRIS QUE LES MANUSCRITS DE LA MER MORTE AVAIENT BEAUCOUP SOUFFERT AVEC LE TEMPS. C'EST BIEN EN 1947 QU'ILS ONT ÉTÉ DÉCOUVERTS POUR LA PLUPART ?

EN EFFET. IL M'A FALLU, EN UN PREMIER TEMPS, ÉPLUCHER ET CLASSER LES TEXTES ANTÉRIEURS À 4Q456-458. AVEC L'ÉQUIPE INTERNATIONALE QUE JE DIRIGE, JE ME SUIS RENDU COMPTE QUE DEUX ROULEAUX NUMÉROTÉS Q238-239 AVAIENT DISPARU !

DISPARU ? VOUS VOULEZ DIRE QU'ILS NE SONT MÊME PAS À L'ÉCOLE BIBLIQUE DE JÉRUSALEM ?...

C'EST DU MOINS CE QUE M'ONT RÉPONDU LES AUTORITÉS DE L'ÉCOLE BIBLIQUE. Q238-239 SE SONT VOLATILISÉS ! ET AUCUN MOYEN DE METTRE LA MAIN SUR UNE COPIE. ILS SONT POURTANT CITÉS DANS L'ÉDITION RÉCENTE DE LA NOMENCLATURE DES MANUSCRITS...

TROUBLANT...

PAS AUTANT QUE LE PROFESSEUR MOUSTHER QUI NOUS ARRIVE AVEC SON DÉHANCHEMENT CHALOUPÉ DE FEMME FATALE...

JE CROYAIS QUE CE GENRE DE CRÉATURE N'EXISTAIT QU'AU CINÉMA OU DANS LE SOUVENIR DE MES RÊVES D'ADOLESCENT.

AUDE, JE VOUS PRÉSENTE MON AMI FRANCIS MARLANE...

"LE" MARLANE DE "APOLOGÉTIQUE ET THÉOLOGIE MAGIQUE" ?

MINCE... VOUS AVEZ LU MON BOUQUIN ? MOI QUI PENSAIS N'ÉCRIRE QUE POUR DE VIEUX CROÛTONS MYOPES ET CHAUVES !

ATTENTION, VOUS ÊTES PRÊT ? METTEZ-VOUS EN APNÉE, NOUS ENTRONS DANS MON BUREAU !

ET VOUS VOUS Y RETROUVEZ DANS CETTE CAVERNE ?

BIEN SÛR ! GRÂCE À MES DEUX GARDIENS DU TEMPLE... LE PREMIER : NORBERT SOUFFIR !

'JOUR !

LE SECOND : **BOGAZ** ! L'ORDINATEUR LE PLUS PATIENT, LE PLUS MÉTICULEUX ET LE PLUS INSTRUIT DU MONDE ! IL CONNAÎT TOUTES LES LANGUES : L'ARAMÉEN, LE GREC, LE LATIN... IL EN CONNAÎT PRESQUE AUTANT QUE NORBERT. C'EST DIRE !

N'EMPÊCHE QUE BOGAZ NOUS FAIT UNE PETITE CRISE DE NERFS. IL ACHOPPE SUR UN TEXTE CALENDAIRE TROUÉ COMME DU GRUYÈRE. INFOUTU DE ME SORTIR UNE COMBINAISON COHÉRENTE !

NOUS TENTONS DE RECONSTITUER ACTUELLEMENT UNE "BANDE" D'ADMONITIONS QUI S'ÉGRÈNENT EN UNE INFERNALE SÉQUENCE... A516-517... ET CECI JUSQU'À A698 !

LA MOITIÉ DES TEXTES ONT ÉTÉ MANGÉS PAR LES RATS DE LA GROTTE IV DE QUMRÂN.

ON AVANCE EN AVEUGLES. ON REDONNE FORME À DES ÉCRITS QUE NOUS SOMMES INCAPABLES DE LIRE UN JEU DE PATIENCE CHINOIS SANS LIMITES...

C'EST UNE ŒUVRE PRODIGIEUSE, PLUTÔT ! VOUS RENDEZ-VOUS COMPTE QUE VOUS DÉCHIFFREZ LES TÉMOIGNAGES D'ESSÉNIENS DONT CERTAINS ONT PU ÊTRE LES CONTEMPORAINS DU CHRIST ?

UNE TÂCHE DE FOURMI, HARASSANTE, DIFFICILE ET LABORIEUSE ! VOUS ÊTES MARLANE, C'EST BIEN ÇA ? FRANCIS MARLANE ?...

CE BÛCHERON CANADIEN QUI VOUS BROIE LA MAIN S'APPELLE RUGHTER.

ENCHANTÉ... AÏE ! J'AI PARCOURU VOTRE RÉCENT MÉMOIRE PARU DANS "HISTORIC RESPECT". J'IGNORAIS QUE VOUS AVIEZ ABANDONNÉ VOS PSAUTIERS DU XIIᵉ SIÈCLE POUR VOUS PLONGER DANS LA SÉVÈRE LITTÉRATURE ESSÉNIENNE !

SUIVEZ-MOI, FRANCIS. JE VAIS VOUS PRÉSENTER LE RESTE DE L'ÉQUIPE. EN ESPÉRANT QUE VOUS NOUS REJOINDREZ. J'AI CARTE BLANCHE POUR EMBAUCHER QUI JE VEUX.

CONSIDÉREZ QUE J'AI ACCEPTÉ. RIEN NE PEUT ME FAIRE PLUS PLAISIR ! J'AURAIS TOUT DONNÉ POUR TOUCHER DE SI PRÈS LES MANUSCRITS DE LA MER MORTE. TOUT... JUSQU'À MON ÂME.

ALLONS, PAS TANT D'EMPHASE... PARIONS NOTRE PEAU, MAIS PAS NOTRE ÂME !

FAUDRAIT-IL ENCORE QUE NOUS EN AYONS UNE. LA SCIENCE N'A RIEN DÉMONTRÉ À CE PROPOS, PROFESSEUR !

CE SOIR, NEUF ANS PLUS TARD...

ENTREZ ! ALLONS TOUT DE SUITE À MON BUREAU, NOUS Y SERONS À L'AISE ET NE RISQUERONS PAS DE RÉVEILLER LÉA.

MERCI D'AVOIR BIEN VOULU ME RECEVOIR EN PLEINE NUIT.

VOUS M'AVEZ DIT QUE JE POURRAIS FAIRE APPEL À VOUS EN CAS DE NÉCESSITÉ. J'AI AUSSITÔT PENSÉ QUE JE DEVAIS VOUS PARLER DE FRANCIS MARLANE... DE SA DISPARITION.

SA DISPARITION ?! N'ÉTAIT-IL PAS PARTI POUR JÉRUSALEM ? JE CROYAIS QUE VOUS L'AVIEZ ENVOYÉ EN MISSION AUPRÈS DU RECTEUR DE L'ÉCOLE BIBLIQUE !

JE NE SAIS PAS TROP PAR OÙ COMMENCER, MARTIN. MOI-MÊME, JE VIENS D'ÊTRE VICTIME D'UNE TENTATIVE D'ASSASSINAT. ON A VOULU M'ÉCRASER.

VOUS ME GÂTEZ, DIDIER. VOUS CONNAISSEZ MON GOÛT POUR LES AFFAIRES DRAMATIQUES ! MÊME À LA RETRAITE, JE DEMEURE AVOCAT.

VOULEZ-VOUS BOIRE QUELQUE CHOSE ? COGNAC, WHISKY ? J'EN AI UN PAS TROP MAUVAIS DANS CE PETIT BAR.

WHISKY, OUI. MERCI.

CELA NE VOUS DÉRANGE PAS QUE JE FUME CE MAGNIFIQUE PARTAGAS CORONAS ? MON DEGRÉ D'ATTENTION EST SUPÉRIEUR UN CIGARE AU BEC !...

MAIS JE VOUS EN PRIE.

MMMH... BONNE CAPE, TRIPE CHARPENTÉE, BEL ARÔME. PARFAIT POUR VOUS ÉCOUTER, MON FRÈRE !

TOUT EST PARTI DU MANUSCRIT DE LA MER MORTE DONT JE VOUS AI DÉJÀ PARLÉ. LE 4Q456-458. DANS CE PARCHEMIN, FRANCIS A CRU DÉCOUVRIR LES ÉLÉMENTS D'UNE THÉORIE QU'IL N'A JAMAIS CESSÉ DE DÉFENDRE.

J'IMAGINE AISÉMENT... JE CONNAIS LES SPÉCULATIONS HÉRÉTIQUES DE NOTRE SAVANT AMI.

EH BIEN, JUSTEMENT. IL A VOULU ENQUÊTER DIRECTEMENT AUX SOURCES. SOUS LE COUVERT D'UNE PSEUDO-MISSION, IL S'EST LANCÉ À LA RECHERCHE DES PREUVES QUI DEVAIENT CONFIRMER SES HYPOTHÈSES...

14

IL L'AURAIT DONC FAIT TUER ? LUI... C'EST LUI QUI AURAIT DONNÉ L'ORDRE D'ÉLIMINER FRANCIS...

JE LE CROIS, MARTIN. LE SECRET LUI APPARTIENT !

NON, PAS VRAIMENT ! AH, CE SECRET ! J'AURAIS PRÉFÉRÉ VOUS SAVOIR EN DEHORS DE CETTE FABLE, MON AMI.

NE JOUEZ PAS AVEC LES MOTS. VOUS SAVEZ PERTINEMMENT QUE CE N'EST PAS UNE FABLE...

UNE LÉGENDE DEMEURE UNE LÉGENDE TANT QU'ON N'A PAS PROUVÉ SA RÉALITÉ. VOUS VENEZ DE ME DONNER LA VERSION D'UNE AVENTURE QUE JE PRENDRAIS POUR UN FEUILLETON POPULAIRE SI JE NE VOUS CONNAISSAIS PAS.

POURTANT, DE NOMBREUX POINTS DE VOTRE HISTOIRE SE RETROUVENT DANS CET OUVRAGE.

TENEZ, PRENEZ-LE EN MAIN. JE VOUS SAIS SUFFISAMMENT SPÉCIALISTE POUR SAVOIR DE QUOI IL S'AGIT. TOURNEZ LES PAGES AVEC SOIN. CE MANUSCRIT N'EST PLUS DE LA PRIME JEUNESSE !

CE N'EST PAS POSSIBLE ! CETTE COUVERTURE SANS TITRE... JUSTE CE POISSON ! NON, CE MANUSCRIT N'EXISTE PLUS. IL A ÉTÉ BRÛLÉ PAR PHILIPPE LE BEL ! NE ME DITES PAS QUE CE QUE J'AI ENTRE LES MAINS EST...

OUI, C'EST LE **TESTAMENT DU FOU !**

LA LÉGENDE, DIDIER ! LA LÉGENDE VEUT QU'IL AIT ÉTÉ DÉTRUIT SUR L'ORDRE DE PHILIPPE LE BEL, À LA SUITE DU PROCÈS ARBITRAIRE CONTRE JACQUES DE MOLAY, LE DERNIER GRAND MAÎTRE DES TEMPLIERS.

CET ÉVANGÉLIAIRE A ÉTÉ ÉCRIT PAR NICOLAS DE PADOUE ET ILLUSTRÉ PAR SON FRÈRE AGNAN SOUS LE RÈGNE DE PHILIPPE AUGUSTE. C'EST UN LIVRE MAUDIT. LA PIÈCE MAÎTRESSE D'UNE DOCTRINE HÉRÉTIQUE.

"IN FUROREM VERSUS", COMMUNÉMENT APPELÉ "LE TESTAMENT DU FOU."

EN VÉRITÉ NICOLAS ET AGNAN ÉTAIENT AMANTS. ILS ONT CACHÉ LEUR AMOUR DERRIÈRE LA FAÇADE DE LA FRATERNITÉ. JE VOUS FÉLICITE CEPENDANT POUR VOTRE ÉRUDITION, DIDIER.

PAR QUEL TOUR DE MAGIE AVEZ-VOUS ACQUIS CE MANUSCRIT ? JE PENSAIS QU'IL N'EN RESTAIT QU'UN SEUL ET UNIQUE EXEMPLAIRE AU VATICAN.

LA BIBLIOTHÈQUE PONTIFICALE CONSERVE EN EFFET L'IDENTIQUE COPIE, EN TOUS POINTS SEMBLABLE. IL Y EUT TOUJOURS DEUX TESTAMENTS DU FOU !

JE VOUS EXPLIQUERAI PLUS TARD DE QUELLE MANIÈRE JE SUIS DEVENU PROPRIÉTAIRE DE CE JOYAU... CELA DATE DE L'ÉPOQUE OÙ J'ÉTAIS UN JEUNE AVOCAT.

SOIT, J'ATTENDRAI DONC. VOUS ÊTES HOMME DE MYSTÈRES ET D'ÉNIGMES, MARTIN.

FRANCIS MARLANE A ÉVOQUÉ UNE FOIS CE MANUSCRIT. C'EST UN CERTAIN PONTIGLIONE, AMI D'HUGO PRATT QUI EN AVAIT PARLÉ À FRANCIS LORS D'UNE RENCONTRE ENTRE FRANCS-MAÇONS À VENISE.

LE PROFESSEUR ERNESTO PONTIGLIONE ? JE LE CONNAIS UN PEU.

J'AI ÉCHANGÉ DES COURRIERS AVEC LUI ET HUGO PRATT. JE SAVAIS QUE TOUS DEUX RECHERCHAIENT UNE COPIE DU TESTAMENT DU FOU POUR UN TRAVAIL QU'ILS COMPTAIENT FAIRE DANS LEUR LOGE.

CETTE COPIE, VOUS LEUR AVEZ DONNÉE ?

SEULEMENT QUELQUES PAGES. À LA MORT DE PRATT, PONTIGLIONE A ABANDONNÉ SES TRAVAUX. C'EST DU MOINS CE QU'IL M'A DIT. PONTIGLIONE EST UN VIEIL HOMME ORIGINAL DONT JE NE SAIS PAS TROP QUOI PENSER.

AGNAN ÉTAIT UN GRAND ARTISTE, N'EST-CE PAS ? QUE PENSEZ-VOUS DE LA REPRÉSENTATION QU'IL A DONNÉE ICI DU DIEU CRÉATEUR ?

NOUS SOMMES BIEN LOIN DE L'IMAGE DU CODEX VINDEBONENSIS DU *XVᵉ* SIÈCLE OÙ LA TERRE EST UNE PATATE INFORME... PRÈS DE TROIS SIÈCLES PLUS TÔT, AGNAN DESSINAIT DÉJÀ LA TERRE RONDE, LUI !

VOUS AVEZ RAISON, DIDIER, LE TESTAMENT DU FOU EST UN LIVRE MAUDIT. "IN FUROREM VERSUS", QUI LUI A DONNÉ SON TITRE, SE TROUVE DANS LA VULGATE DE SAINT JÉRÔME QUI S'EST INSPIRÉ D'UN VERSET DE MARC...

... "CE QUE SES PARENTS AYANT APPRIS, ILS VINRENT POUR SE SAISIR DE LUI, CAR, DISAIENT-ILS, IL AVAIT PERDU L'ESPRIT", EN PARLANT DE JÉSUS ! LES PARENTS MÊME DE JÉSUS PRIRENT CELUI-CI POUR UN FOU À UNE CERTAINE ÉPOQUE DE SA VIE !

VOUS ÊTES UN HISTORIEN TALENTUEUX, DIDIER. POURTANT, JE PENSE QUE JE VAIS VOUS APPRENDRE LA VÉRITABLE ORIGINE DU TESTAMENT DU FOU.

C'EST À CROIRE QUE VOUS AVEZ VOYAGÉ DANS LE TEMPS ! NUL N'EST CENSÉ CONNAÎTRE LE COMMANDITAIRE DE CE LIVRE.

LES HOMMES NE VIVENT PAS ASSEZ LONGTEMPS POUR CONSERVER CERTAINS SECRETS. MAIS LES SOCIÉTÉS, LES ORDRES INITIATIQUES, LES CONFRÉRIES, PRÉSERVENT LES TRADITIONS ET LES VÉRITÉS ! SUIVEZ-MOI DANS LE PASSÉ, DIDIER...

15

NOUS SOMMES EN 1190. RICHARD CŒUR DE LION A CONVAINCU LE ROI PHILIPPE AUGUSTE DE L'ACCOMPAGNER EN TERRE SAINTE DÉLIVRER LE TOMBEAU DU CHRIST ; L'EMPEREUR FRÉDÉRIC BARBEROUSSE ET SES CROISÉS ALLEMANDS LES ONT DÉJÀ DEVANCÉS...

MAIS CETTE MÊME ANNÉE...

QUE DIEU NOUS VIENNE EN AIDE ! METTEZ PLUS D'ARDEUR DANS VOS PRIÈRES, MESDAMES ! CE PETIT S'ACCROCHE À SA MÈRE...

VIERGE MARIE ! IL EST MORT !...

ET LA REINE VIENT DE LE REJOINDRE. ELLE NE RESPIRE PLUS !

SIRE... ROI PHILIPPE ! DIEU N'A POINT VOULU QUE LA REINE ENFANTE DE NOUVEAU ! ELLE PORTAIT DES JUMEAUX... ILS SONT MORTS, ET L'ÂME DE LEUR MÈRE S'EN EST ALLÉE À LEUR CÔTÉ.

ISABELLE... MA TENDRE ISABELLE.

MON ROI, C'EST LÀ UNE BIEN LOURDE ÉPREUVE INFLIGÉE PAR LE CIEL NOTRE CŒUR EST BRISÉ COMME LE VÔTRE.

JE LE SAIS, MES AMIS. VOUS M'ÊTES FIDÈLES DANS LES JOIES COMME DANS LES PEINES.

ME VOICI PRÊT À ME CROISER ET M'EN ALLER EN TERRE SAINTE, CONFIANT LE ROYAUME À MON FILS LOUIS QUI N'A QUE TROIS ANS. JÉRUSALEM EST AUX MAINS DE SALADIN ET IL ME FAUT LE BOUTER HORS DE LA VILLE.

VOTRE MÈRE ADÈLE DE CHAMPAGNE ET VOTRE FRÈRE GUILLAUME AUX BLANCHES MAINS SERONT TUTEURS DE LOUIS.

JE ME MÉFIE TOUJOURS DU PARTI CHAMPENOIS, BIEN QUE MA MÈRE S'EN PORTE GARANTE. JE SERAI FORT AISE DE QUITTER LE SOL DE FRANCE APRÈS AVOIR IMPOSÉ UNE SAINE RÉGENCE.

CELA PEUT ATTENDRE...

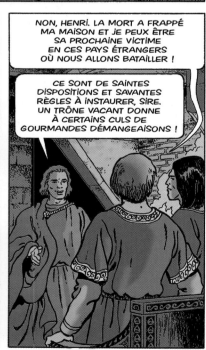

NON, HENRI. LA MORT A FRAPPÉ MA MAISON ET JE PEUX ÊTRE SA PROCHAINE VICTIME EN CES PAYS ÉTRANGERS OÙ NOUS ALLONS BATAILLER !

CE SONT DE SAINTES DISPOSITIONS ET SAVANTES RÈGLES À INSTAURER, SIRE. UN TRÔNE VACANT DONNE À CERTAINS CULS DE GOURMANDES DÉMANGEAISONS !

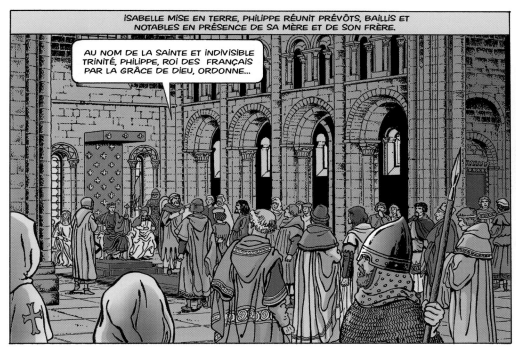

ISABELLE MISE EN TERRE, PHILIPPE RÉUNIT PRÉVÔTS, BAILLIS ET NOTABLES EN PRÉSENCE DE SA MÈRE ET DE SON FRÈRE.

AU NOM DE LA SAINTE ET INDIVISIBLE TRINITÉ, PHILIPPE, ROI DES FRANÇAIS PAR LA GRÂCE DE DIEU, ORDONNE...

NOS BAILLIS DONNERONT À CHAQUE PRÉVÔTÉ QUATRE HOMMES SAGES ET LOYAUX À QUI L'ON SOUMETTRA TOUTES LES AFFAIRES DES VILLES. ILS FORMERONT CONSEIL DE DROIT ET DE SAGESSE...

PHILIPPE EST UN RENARD ! IL NOUS ROGNE LES AILES.

ORDONNANCE FAITE EN SECOND À QUICONQUE DE RÉVOQUER UN BAILLI SAUF EN CAS DE MEURTRE, RAPT OU ÉVIDENTE TRAHISON. TROIS RAPPORTS SERONT ADRESSÉS EN CHAQUE ANNÉE AU ROI PHILIPPE.

CELA SENT L'INSPIRATION TEMPLIÈRE ! REGARDE, UN "CROIX-ROUGE" VEILLE DANS L'OMBRE.

MA VOLONTÉ VOUS A ÉTÉ DONNÉE. QU'ELLE SOIT PAROLE TESTAMENTAIRE, AINSI SOIT-IL.

NOUS VOICI DEVENUS PRÉVÔTS SANS POUVOIRS.

ET PHILIPPE A COUSU LE BEC DE LA REINE MÈRE PAR LA MÊME OCCASION.

SIRE, PUISQU'IL EST L'HEURE ET QUE NOUS AVONS L'ÂGE, OUVRONS NOS TRAVAUX...

JE VOUS SUIS, CHEVALIER RENAUD.

19

BIENVENUE DANS NOTRE CHAÎNE, PHILIPPE. DEMAIN À SAINT-DENIS, LE VICAIRE VOUS REMETTRA LA BANNIÈRE AUX CROIX D'OR. PAR LE SAINT CLOU ET LA SAINTE ÉPINE VOUS SEREZ CROISÉ.

ET JE DEVIENDRAI SOLDAT DE L'ÉGLISE POUR ME RENDRE À JÉRUSALEM.

ABANDONNEZ JÉRUSALEM À RICHARD ET À BARBEROUSSE. N'ALLEZ POINT SI LOIN.

LES LAISSER DÉLIVRER LE SAINT SÉPULCRE SEULS ? OÙ SERAIT L'HONNEUR DE MA CROISADE ?

IL EST TEMPS DE VOUS INSTRUIRE D'UN GRAND SECRET, SIRE. UN SECRET QUE MÊME LE PAPE CLÉMENT DOIT IGNORER. VOUS ACCORDEZ-NOUS TOUJOURS LA GRÂCE DE NOUS CROIRE ?

J'AI RÉGULIÈREMENT CONSENTI À VOUS ÉCOUTER. LA PRUDENCE ET L'INTELLIGENCE DE VOS CONSEILS M'ONT ÉPARGNÉ BIEN DES INFORTUNES.

IL S'AGIT D'UN CERTAIN ÉVANGILE ÉCRIT SUR TROIS ROULEAUX DE PARCHEMIN. LA PIÈCE CENTRALE DU SECRET...

UN CINQUIÈME ÉVANGILE ?

AUCUN TEXTE N'EN FAIT MENTION. N'EST-CE PAS LÀ UNE HÉRÉSIE QUE VOUS PRENEZ POUR FRANCHE PAROLE ?

NON, SIRE. IL EXISTE BEL ET BIEN. DU MOINS UNE COPIE, FAITE DE LA MAIN MÊME DE SON RÉDACTEUR.

LES ROULEAUX SONT À SAINT-JEAN-D'ACRE, DANS UN SOUTERRAIN SOUS LA TOUR MAUDITE. C'EST AU CREUX D'UNE GROTTE QUE L'AUTEUR DE CE CINQUIÈME ÉVANGILE A DÉPOSÉ SON BIEN AVANT DE PRENDRE LA MER... JE VOUS ACCOMPAGNERAI EN TERRE SAINTE ET VOUS GUIDERAI.

PHILIPPE ARRIVE SOUS LES REMPARTS DE SAINT-JEAN-D'ACRE LE 20 AVRIL 1191. IL Y EST ACCUEILLI PAR L'ÉVÊQUE DE BEAUVAIS, PHILIPPE DE DREUX, ET LES COMTES DE FLANDRE.

AH, MON COUSIN ! NOUS DÉSESPÉRIONS DE VOUS AVOIR À NOS CÔTÉS. VOYEZ, NOUS N'ATTENDIONS PLUS QUE VOUS ET LE ROI RICHARD POUR ÉBRANLER CETTE FORTERESSE !

ET FRÉDÉRIC ? BARBEROUSSE NE VOUS A DONC POINT DÉJÀ REJOINTS ?

L'EMPEREUR S'EST NOYÉ DANS LA SENEF ET SES CROISÉS N'ONT PLUS GUÈRE LA FOI POUR SE BATTRE. ILS ONT PRESQUE TOUS PRIS LE LARGE DEPUIS !

C'EST FÂCHEUX. IL NOUS FAUDRA DONC COMPTER SUR LES FORCES DE L'ORGUEILLEUX RICHARD. MAIS J'AI EMMENÉ AVEC MOI D'INGÉNIEUX CHARPENTIERS QUI CONSTRUIRONT BALISTES ET MANGONNEAUX.

PHILIPPE INSTALLE AUSSITÔT SON CAMP ET SES ARCHITECTES SE METTENT À L'ŒUVRE POUR FABRIQUER LES ENGINS DE GUERRE.

SIRE, LE ROI RICHARD ET SA FLOTTE VIENNENT DE DÉBARQUER. À L'EN CROIRE, IL EST IMPATIENT D'EN DÉCOUDRE AVEC LES DÉFENSEURS DE SAINT-JEAN-D'ACRE.

CE N'EST PAS ÉTONNANT. SON DÉSIR DE GLOIRE EST PLUS FORT QUE SA FOI !

PHILIPPE ! L'AUGUSTE ET SÉVÈRE PHILIPPE ! DANS MES BRAS, MON AMI...

CŒUR DE LION, VOUS AVEZ MUSARDÉ EN ROUTE ! TOUT LE MONDE ICI COMMENCE À SOUFFRIR DE DISETTE.

MES HOMMES ONT FAIT UN FORT BEL OUVRAGE. NOUS ALLONS PILONNER LA FORTERESSE ET NOUS LIVRERONS L'ASSAUT DE CONCERT.

CERTES... L'UN À L'EST ET L'AUTRE AU SUD. NOUS AVONS ÉTUDIÉ LES MURAILLES. JE CROIS AISÉ DE PRENDRE CES DEUX SECTEURS EN PRIORITÉ.

REGARDEZ, RICHARD... LES MURS SONT MOINS ÉPAIS, ICI ET LÀ. NOUS CONCENTRE-RONS NOS FORCES SUR CES DEUX POINTS FAIBLES. LA "MALE-VOISINE" (1) NOUS OUVRIRA UN PASSAGE EN BOMBARDANT L'ENCEINTE DE GROSSES PIERRES.

C'EST UN PLAN QUI ME CONVIENT...

(1) CATAPULTE.

21

IL FAUT PLUSIEURS ASSAUTS AVANT DE FAIRE TOMBER SAINT-JEAN-D'ACRE. LE ROI PHILIPPE Y PARTICIPE HÉROÏQUEMENT.

TOUT CE SANG !

POUR LE CHRIST, SIRE.

SEIGNEUR, QUELLE ODEUR !

À CAUSE DE TOUTE CETTE BOYASSE DE PAÏENS ÉVENTRÉS PAR NOS HOMMES. CELA M'ENIVRE, MOI ! NE MASSACRONS-NOUS PAS POUR UNE SAINTE CAUSE ?

AU SOIR DE CETTE VICTOIRE...

VOICI LE DONJON QUE L'ON NOMME LA TOUR MAUDITE, SIRE. LA VOIE EST LIBRE.

FAISONS VITE... JE ME SENS LAS ET LE SANG ME CHAUFFE.

C'EST SANS DOUTE LA SUETTE. IL N'EST PAS RARE D'ATTRAPER CETTE FIÈVRE EN CES CONTRÉES.

PAR QUEL PRODIGE PARVENEZ-VOUS À VOUS DIRIGER DANS CE LABYRINTHE ?

IL N'Y A POINT DE MAGIE LÀ-DESSOUS.

VOUS NE M'AVEZ PAS RÉPONDU, CHEVALIER RENAUD.

À TRAVERS LE MONDE, LES AGENTS DU TEMPLE RENSEIGNENT LES COMMANDERIES. NOUS MENONS UNE CERTAINE ENQUÊTE DEPUIS FORT LONGTEMPS.

NOUS Y SOMMES. IL SUFFIT MAINTENANT DE DÉPLACER CE MOELLON, LE SEPTIÈME À PARTIR DU SOL ET GRAVÉ DE CE POISSON. TENEZ, SIRE, PRENEZ LA TORCHE.

LE POISSON, OUI... L'EMBLÈME DES CHRÉTIENS LORSQU'ILS ÉTAIENT PERSÉCUTÉS. QUI L'A DESSINÉ ICI ? ET QUAND ?

UN HOMME SAGE, IL Y A DOUZE SIÈCLES.

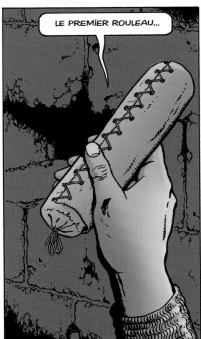

LE PREMIER ROULEAU...

ET LES DEUX AUTRES ! DANS LEUR POCHE DE CUIR, ILS N'ONT SANS DOUTE PAS SOUFFERT DU TEMPS.

23

DURANT TOUTE LA SEMAINE QUI SUIT, PHILIPPE DEMEURE DANS SA TENTE.

EH BIEN, CHEVALIER GUILLAUME, M'APPORTEZ-VOUS D'HEUREUSES NOUVELLES CONCERNANT LA SANTÉ DE PHILIPPE ?

NON POINT, SIRE ! MON ROI A MAIGRI, PERDU CHEVEUX ET ONGLES AINSI QUE L'ŒIL DROIT. DE PLUS, SA PEAU EST EN LAMBEAUX. C'EST GRANDE PITIÉ DE LE VOIR DANS CET ÉTAT !

LES PHYSICIENS IGNORENT COMMENT SOIGNER CETTE SOURNOISE MALADIE QUI L'AFFAIBLIT D'HEURE EN HEURE.

JE DEVINE SES INTENTIONS. IL VA ME MANDER PERMISSION DE LE LAISSER S'EN RETOURNER EN FRANCE.

MA BÉNÉDICTION, PHILIPPE ! VOUS VOICI ENTOURÉ DE CHARLATANS QUI NE GUÉRIRAIENT PAS LA GALE D'UN CHIEN POUILLEUX !

C'EST QUE JE N'AI PAS LA GALE, RICHARD. SANS DOUTE QUELQUE VILAIN POISON QUI COULE DANS MES VEINES.

VOUS AVEZ L'ESPRIT TORTUEUX. QUI AURAIT INTÉRÊT À VOUS FAIRE MOURIR ?

QUAND DEUX ROIS COMBATTENT ENSEMBLE, IL Y EN A TOUJOURS UN DE TROP. LE DESTIN EST PEUT-ÊTRE L'UNIQUE RESPONSABLE DE MON ÉTAT.

LE ROI PHILIPPE DOIT QUITTER SAINT-JEAN POUR REVENIR EN BONNE TERRE PAISIBLE OÙ IL REPRENDRA SES FORCES AVEC LA GRÂCE DE DIEU.

MAIS NOTRE QUÊTE N'EST PAS ACHEVÉE. ET LE SAINT SÉPULCRE ?

ALLEZ, RICHARD... PORTEZ VOTRE CŒUR DE LION À JÉRUSALEM.

SOIT, EN EMBRASSANT SON SOL, J'AURAI UNE AFFECTUEUSE PENSÉE POUR VOUS. JE PRIERAI POUR VOTRE RÉTABLISSEMENT.

GUILLAUME, HENRI ET VOUS, LES APOTHICAIRES, LAISSEZ-MOI MAINTENANT SEUL AVEC LE CHEVALIER RENAUD, JE VOUS PRIE.

MA MALADIE N'EST-ELLE PAS LIÉE À CE QUE NOUS AVONS FAIT DANS LA TOUR MAUDITE ? N'AVONS-NOUS PAS VIOLÉ UN SANCTUAIRE QUI... ?

VOYEZ : C'EST MOI QUI AI PRIS LES ROULEAUX ET JE N'AI SUBI AUCUN SORTILÈGE.

ET RICHARD VA CUEILLIR LES LAURIERS DE JÉRUSALEM.

LA VILLE SAINTE N'EST QU'UNE COQUILLE VIDE. JE VOUS L'AI DIT, SIRE, ABANDONNONS L'ANGLAIS À SES RÊVES DE CONQUÊTE ET D'HÉGÉMONIE. LAISSONS-LE S'ENLISER DANS LES SABLES. TANT QU'IL DEMEURERA ICI, IL NE LORGNERA PAS SUR VOTRE ROYAUME.

QU'Y A-T-IL DE SI IMPORTANT SUR LES PARCHEMINS QUE NOUS AVONS ÉTÉ CHERCHER ?

VOUS LE SAUREZ BIENTÔT. LES TEMPLIERS CONFIERONT CES ROULEAUX À DEUX CLERCS, AGNAN ET NICOLAS DE PADOUE, DES CLERCS QUI SAURONT EN FAIRE UNE TRADUCTION EN LATIN.

AGNAN ET NICOLAS SONT HOMMES DE SAVOIR, BIEN QU'ILS SOIENT INVERTIS ET SODOMITES. ILS SE DISENT FRÈRES MAIS NE SONT QUE FOLS.

LA GORGE ME BRÛLE...

MON ROI !!!

SI JE DOIS MOURIR, QUE CELA SOIT EN FRANCE, AUPRÈS DE MON FILS. HÂTONS NOTRE DÉPART !

VOUS NE MOURREZ PAS, SIRE. VOTRE HEURE N'EST PAS VENUE.

DE RETOUR EN FRANCE...

CELA FAIT MAINTENANT PLUS D'UN MOIS QUE PHILIPPE N'EST PAS SORTI DE SA CHAMBRE.

LE TEMPLIER RENAUD LUI A IMPOSÉ UN DOCTEUR QUI LUI ADMINISTRE DROGUES INCONNUES, REMÈDES MYSTÉRIEUX ET PROMET UNE PANACÉE MAGIQUE.

COMMENT PHILIPPE SE PORTE-T-IL CE MATIN, MAÎTRE OTHON ?

GRAVELLE DU DIABLE, COMMENT ?

MIEUX ! IL REPREND FIGURE HUMAINE ET SON FILS LOUIS NE CRAINDRA BIENTÔT PLUS DE LE VISITER.

VOS CLERCS PROGRESSENT-ILS DANS LEUR TRADUCTION, RENAUD ?

ILS DORMENT À PEINE TANT ILS SE SONT VOUÉS À LEUR TÂCHE.

BIEN... JE SUIS IMPATIENT DE LIRE CES TEXTES. SI VOUS AVEZ FINANCÉ UNE PARTIE DE LA CROISADE, C'EST QU'ILS SONT DE GRAND INTÉRÊT, N'EST-CE PAS ?

EN EFFET. IL AURAIT ÉTÉ DANGEREUX QUE LE ROI RICHARD METTE LA MAIN SUR EUX PAR HASARD.

MAIS VOUS NE M'AVEZ PAS ENCORE PARLÉ D'ARGENT, CHEVALIER... LA COURONNE VOUS EST REDEVABLE D'UNE GROSSE SOMME. JE SUIS VOTRE DÉBITEUR.

LES TEMPLIERS NE SONT PAS DES USURIERS. NOUS SAVONS ATTENDRE AVANT DE RÉCUPÉRER NOS FONDS.

CELA SIGNIFIE QUE VOS INVESTISSEMENTS APPORTENT QUELQUES FRUITS AUTRES QUE DES PIÈCES SONNANTES. J'AIMERAIS LIRE EN VOUS, RENAUD... DEVINER POUR QUELLE RAISON VOUS AGISSEZ AINSI.

CONSIDÉREZ QUE C'EST POUR LE BIEN DU ROYAUME, SIRE.

AH... J'AI RECONNU VOTRE CODE, MESSIRES. ENTREZ VITE ! CE FROID EST PINÇANT ET VOUS GLACE LA MOELLE !

VOUS POUVEZ NOUS LAISSER, L'ABBÉ. RETOURNEZ À VOS PRIÈRES.

MA FOI, IL EST PLUTÔT L'HEURE DE DORMIR DANS UN BON LIT BASSINÉ. JE NE SUIS PAS DE LA TREMPE DES JEUNES ET DÉVOUÉS AGNAN ET NICOLAS, MOI !

CHEVALIER RENAUD, NOUS AVONS TERMINÉ À LA DATE PRÉVUE LE TRAVAIL QUE VOUS NOUS AVEZ CONFIÉ.

JE N'AI JAMAIS EU À ME PLAINDRE DE VOS SERVICES.

CE FUT PARFOIS DIFFICILE. LES LANGUES EMPLOYÉES ÉTAIENT AU NOMBRE DE TROIS, DONT L'ARAMÉEN... ET... ENFIN...

NOUS AVONS COMPRIS QUE CES TEXTES AVAIENT ÉTÉ ÉCRITS PAR... VOUS SAVEZ...

OUI, JE SAIS ! AVEZ-VOUS FAIT UN SECOND EXEMPLAIRE COMME JE VOUS L'AVAIS DEMANDÉ.?

CERTES. TOUS DEUX SONT EN LATIN, TEL QUE VOUS L'AVEZ SOUHAITÉ.

VOICI L'IDENTIQUE COPIE, MESSIRE. SEMBLABLE À L'AUTRE AU MOINDRE MOT, AINSI QUE L'IMAGE RÉALISÉE À PARTIR DES TEXTES... DIEU CRÉANT LE MONDE À L'AIDE D'UN COMPAS.

PARFAIT !

J'AIMERAIS RESTER SEUL POUR CONSULTER CE MANUSCRIT.

NATURELLEMENT. NOUS VOUS LAISSONS. VOUS NOUS TROUVEREZ À LA CHAPELLE.

PLUS TARD...

COMME TU ES PÂLE, RENAUD ! PAREIL À UN SPECTRE.

TU L'AS LU ? TU AS LU SON TESTAMENT ?

OUI. NUL AUTRE QUE LE ROI NE DEVRA JAMAIS APPRENDRE CE QUE CONTIENT LE TESTAMENT DU FOU ! JAMAIS !

CEPENDANT...

AGNAN ET NICOLAS SAVENT, EUX !

QUE DIEU NOUS PARDONNE !

FAITES CE QUE VOUS AVEZ À FAIRE, MES AMIS. ET QUE CELA NE SOIT PAS TRAVAIL DE BOUCHERIE.

CE SERA RAPIDE, RENAUD. NOUS TE LE PROMETTONS.

VOICI VENIR NOTRE MORT, NICOLAS.

IL NE POUVAIT PAS EN ÊTRE AUTREMENT... DONNE-MOI LA MAIN, J'AI UN PEU PEUR.

ELLE EST FROIDE.

LA TIENNE EST DOUCE ET ME RASSURE.

29

AMEN...

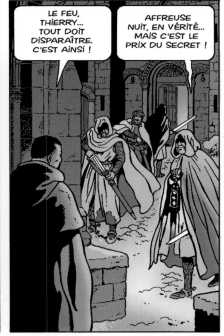

LE FEU, THIERRY... TOUT DOIT DISPARAÎTRE. C'EST AINSI !

AFFREUSE NUIT, EN VÉRITÉ... MAIS C'EST LE PRIX DU SECRET !

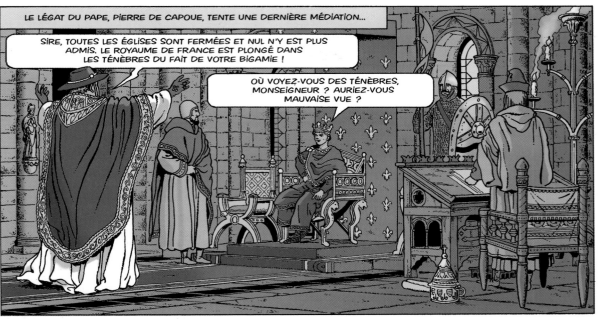

PLUS TARD...
LE 14 AOÛT 1193, PHILIPPE ÉPOUSE INGEBURGE, SŒUR DU ROI KNUT VI DE DANEMARK. CETTE DERNIÈRE EST VITE RÉPUDIÉE. LE MONARQUE VEUT MAINTENANT SE MARIER AVEC AGNÈS DE MÉRANIE, FILLE D'UN DUC BAVAROIS, AU MÉPRIS DES INJONCTIONS DU VATICAN. EN 1198, LE PAPE INNOCENT III JETTE UN INTERDIT SUR LA FRANCE.

LE LÉGAT DU PAPE, PIERRE DE CAPOUE, TENTE UNE DERNIÈRE MÉDIATION...

SIRE, TOUTES LES ÉGLISES SONT FERMÉES ET NUL N'Y EST PLUS ADMIS. LE ROYAUME DE FRANCE EST PLONGÉ DANS LES TÉNÈBRES DU FAIT DE VOTRE BIGAMIE !

OÙ VOYEZ-VOUS DES TÉNÈBRES, MONSEIGNEUR ? AURIEZ-VOUS MAUVAISE VUE ?

JE LES VOIS... LES MORTS NE PEUVENT PLUS REPOSER EN TERRE CONSACRÉE, LES PÈLERINS NE SONT PLUS BÉNIS, LES ÂMES NE SONT PLUS CONFESSÉES !

LA FRANCE EST DONC DEVENUE L'ASILE DU DÉMON PAR LA SEULE VOLONTÉ DU PAPE ?

SIRE, JE VOUS EN CONJURE ! NE VOUS ENTÊTEZ PAS ! LE SAINT-PÈRE M'A CONFIÉ LA MISSION DE VOUS RAMENER À UNE ROYALE RAISON.

JE SOUHAITE EN EFFET REGAGNER LES BONNES GRÂCES DE LA SAINTE MÈRE L'ÉGLISE.

LE PAPE EST DISPOSÉ À OUVRIR UN CONCILE ET LEVER L'INTERDIT QUI FRAPPE VOS SUJETS. À CONDITION QUE VOUS REPRENIEZ L'ÉPOUSE QUE VOUS AVEZ FAIT CLOÎTRER. ET...

ET... ?

IL SE MURMURE À ROME QUE VOUS SERIEZ EN POSSESSION D'UN TESTAMENT HÉRÉTIQUE. PEUT-ÊTRE QUE SI VOUS LE REMETTIEZ AU PAPE, LE RESSENTIMENT QU'IL ÉPROUVE À VOTRE ÉGARD S'EN TROUVERAIT D'UN COUP AMOINDRI ?

VOS ESPIONS ONT DE BONNES OREILLES, MONSEIGNEUR.

IL SERA FAIT SELON LA VOLONTÉ DU SAINT-PÈRE. VOUS LUI PORTEREZ VOUS-MÊME LE MANUSCRIT. QU'IL SACHE QUE JE GARDERAI LE SILENCE QUANT À SON CONTENU.

JE N'EN DOUTE PAS. ET PUIS, CE TESTAMENT N'EST SANS DOUTE QU'UN TISSU DE MENSONGES...

C'EST AINSI QUE LE PAPE S'APPROPRIA L'UNE DES PIERRES COMPOSANT LE SOCLE DU SECRET.

VOUS M'AVEZ TOUJOURS ÉMERVEILLÉ AVEC VOS TALENTS ORATOIRES EN LOGE, MARTIN. MAIS CETTE NUIT, VOUS VOUS ÊTES SURPASSÉ ! PAR QUEL PRODIGE AVEZ-VOUS EU CONNAISSANCE DE CET ÉPISODE HISTORIQUE QUI N'EXISTE DANS AUCUN LIVRE ?

JE VOUS VOIS VENIR, DIDIER...

VOUS PENSEZ QUE CE RÉCIT NE REPOSE SUR AUCUNE BASE SOLIDE. J'AURAIS BIEN PU L'IMAGINER À PARTIR DU MANUSCRIT ! AGNAN ET NICOLAS DE PADOUE ONT EXISTÉ, VOUS EN CONVENEZ ?

QUE CETTE AVENTURE AIT EU LIEU, JE SUIS PRÊT À LE CROIRE. MAIS VOUS, VOUS MON FRÈRE, COMMENT L'AVEZ-VOUS APPRISE ?

VOUS ÊTES TROP GOURMAND ! CONTENTEZ-VOUS DE CET OS À RONGER POUR LE MOMENT. PEUT-ÊTRE QUE TOUTES CES INFORMATIONS VOUS AIDERONT DANS VOTRE QUÊTE... PEUT-ÊTRE QUE FRANCIS N'EST PAS MORT...

VOUS MENTEZ MAL ! FRANCIS A ÉTÉ TUÉ. NOUS EN SOMMES PERSUADÉS, VOUS ET MOI.

J'AI LU PLUS DE MILLE FOIS CE MANUSCRIT. IL N'EST PAS LA PREUVE DE CE QUE VOUS PENSEZ. IL EST L'UNE DES PREUVES ! TOUT COMME FRANCIS ET VOUS, J'AI ÉCHAFAUDÉ DES THÉORIES PLUS FOLLES LES UNES QUE LES AUTRES.

JE SAIS CE QUE MARLANE A TROUVÉ. VOUS LE SAVEZ AUSSI, NATURELLEMENT... DÉSIREZ-VOUS CONSERVER LE TESTAMENT DU FOU ?

VOUS ME L'OFFRIRIEZ ? VOUS VOUS EN DÉBAR-RASSERIEZ ?

NON, PAS L'ORIGINAL. J'AI PRIS SOIN D'EN FAIRE UN FAC-SIMILÉ. VOUS Y DÉNICHEREZ SANS DOUTE QUELQUE ÉNIGME QUE JE N'AI PU ÉCLAIRCIR. VOTRE TÂCHE SERA FACILITÉE PAR LES NOTES ET TRADUCTIONS QUE J'AI PORTÉES DANS LES MARGES.

JE VOUS REMERCIE, MARTIN. OUI, MERCI DE TOUT CŒUR !

ALLONS, JE SUIS BIEN TROP VIEUX ET TROP GRAS POUR COURIR DANS LES PAS DE FRANCIS. VOUS POUVEZ LE FAIRE, VOUS ! MAIS SOYEZ PRUDENT, IL A SOUVENT TUÉ. IL TUERA ENCORE POUR PROTÉGER LE SECRET !

LA VÉRITÉ POURRAIT LE CONFONDRE !

MARTIN ?

30

LÉA ! JE T'AI DIT QUE TU TE ROMPRAIS LE COU À DÉAMBULER AINSI DANS LE NOIR !

JE ME SUIS RÉVEILLÉE ET NE T'AI PAS TROUVÉ... MAIS... C'EST DIDIER ! QUE COMPLOTEZ-VOUS TOUS LES DEUX EN PLEINE NUIT ?

RIEN QUI TE CONCERNE, CHÉRIE. RETOURNE TE COUCHER ET ESSAIE DE TE RENDORMIR. PRENDS UNE PILULE.

LES PILULES ! ON M'EN GAVE POUR M'ENDORMIR, POUR ME RÉVEILLER, ME DONNER DE L'APPÉTIT... Y EN A-T-IL UNE POUR RAJEUNIR ?

N'OUBLIEZ PAS ! TENEZ-VOUS SUR VOS GARDES, DIDIER. NOUS NOUS VOYONS À LA PROCHAINE TENUE (1), N'EST-CE PAS ?

OUI, JEUDI PROCHAIN. MERCI ENCORE, MARTIN.

TU NE VIENS PAS TE COUCHER ? TU SERAS D'UNE HUMEUR EXÉCRABLE AU MATIN.

JE TE REJOINS. J'AI ENCORE À FAIRE... JE NE TARDE PAS, PROMIS !

ALLÔ... JE M'IDENTIFIE : ORIENT - ORIGINE ! DÉSOLÉ DE VOUS RÉVEILLER À CETTE HEURE, MAIS IL S'AGIT D'UNE AFFAIRE IMPORTANTE... OUI... JE DOIS VOUS PARLER À NOUVEAU DE CE CHERCHEUR... MOSÈLE ! DIDIER MOSÈLE...

(1) NOM DONNÉ À UNE RÉUNION MAÇONNIQUE.

LE MATIN SUIVANT, À LA FONDATION MEYER.

DÉJÀ SUR LE CHANTIER, NORBERT ? VOUS NE POUVEZ DONC PLUS VOUS PASSER DE BOGAZ ?

'JOUR, DIDIER... UN TRUC ME CHIFFONNAIT HIER SOIR. J'EN SUIS VENU À BOUT À L'INSTANT.

C'EST QUOI, CELA ? ÇA VIENT D'OÙ ?

BOGAZ ET MOI AVONS RÉUSSI À TRADUIRE LA SÉQUENCE A530 JUSQU'À A698. J'AVAIS BOURRÉ LA BÉCANE JUSQU'À LA GUEULE HIER, ELLE ME RESSORT TOUT SON JUS MAINTENANT.

Visite l'intérieur de la Terre, et en rectifiant, tu trouveras le Frère occulte.

LE FRÈRE ! LE FRÈRE ET NON LA PIERRE ! LA SEULE ET UNIQUE DIFFÉRENCE AVEC LA MAXIME MAÇONNIQUE... MAIS CETTE PHRASE A ÉTÉ ÉCRITE PAR DES ESSÉNIENS IL Y A 2000 ANS !

FOUTU TEMPS ! DIRE QUE FRANCIS EST AU SOLEIL À JÉRUSALEM. AU FAIT, QUAND RENTRE-T-IL DE L'ÉCOLE BIBLIQUE ?

BIENTÔT... OUI, BIENTÔT, SANS DOUTE.

EN TOUT CAS, IL EST AVARE D'INFORMATIONS. PAS UN COUP DE FIL DEPUIS UNE SEMAINE !

DU NOUVEAU, NORBERT ?

REGARDEZ.... CE NE SONT PAS VRAIMENT DES PSAUMES. DES PRIÈRES ADRESSÉES À DIEU. NON PAS DES PRIÈRES, DES QUESTIONS DEVRAIS-JE DIRE.

ENFIN... PSAUMES OU PRIÈRES...

CELA RESSEMBLE À L'ÉVANGILE DE JEAN, L'APOCALYPSE... LES TEXTES DIFFÈRENT UNIQUEMENT PAR LE FAIT QUE LEUR AUTEUR INTERPELLE DIRECTEMENT DIEU. PERSONNELLEMENT !

PASSIONNANT ! ON PEUT VOIR ?

SI LE CŒUR VOUS EN DIT, AUDE, MOI, LE MATIN, JE DIGÈRE MAL L'AUSTÈRE RÈGLE DES ESSÉNIENS.

32

34

TENEZ... CE PASSAGE EST ÉTONNANT. IL TÉMOIGNE DE REPROCHES QUE L'ON FERAIT À DIEU !

UN SAGE INITIÉ À QUMRÂN ADMONESTE DIEU ! C'EST TRÈS INHABITUEL !

Seigneur, pourquoi n'as-tu pas voulu qu'il leur soit dit ?
Seigneur, pourquoi a-t-on menti aux Lévites et aux prêtres ?
Dis-nous, Seigneur, pourquoi le Frère n'était pas le Véritable Frère ?
Pourquoi n'était-il pas le Prophète ?
Pourquoi notre Frère qui "donnait les noms" n'était-il pas le Christ ?

BZZZ...

C'EST MON TÉLÉPHONE PORTABLE. EXCUSEZ-MOI...

DIDIER... DIDIER, IL FAUT QUE L'ON SE VOIE AU PLUS VITE. JE VIENS DE RENTRER DU SKI, ET AU COURRIER IL Y AVAIT UNE CARTE POSTALE DE FRANCIS... IL DOIT AVOIR DE GROS ENNUIS...

TU ES CERTAINE QUE C'EST UNE CARTE DE LUI ? C'EST BIEN SON ÉCRITURE ? JE... J'ARRIVE IMMÉDIATEMENT.

EH BIEN, QU'EST-CE QUI VOUS PREND, MON VIEUX ?

DÉSOLÉ ! C'ÉTAIT LA FEMME DE FRANCIS. JE DOIS PASSER LA VOIR... JE VOUS EXPLIQUERAI. À PLUS TARD !

ILS SONT SÉPARÉS... 'DOIVENT DIVORCER, NON ?

OUPS ! PARDON MATHILDE !

DE RIEN, VOUS M'AVEZ JUSTE BROYÉ TROIS OU QUATRE CÔTES. BONJOUR QUAND MÊME, DIDIER !

33

35

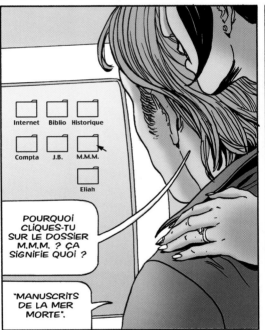

35

SALUT, MARC. JE TE PRÉSENTE JOSIANE, LA FEMME DE FRANCIS. VOUS NE VOUS CONNAISSIEZ PAS, JE CROIS...

NOUS NOUS SOMMES VUS UNE FOIS, À UN BANQUET DE SAINT-JEAN. FRANCIS N'EST PAS RENTRÉ, TU DOIS LE SAVOIR, DIDIER.

OUI. IL M'A PASSÉ UN COUP DE FIL, IL SOUHAITE QUE J'AILLE RÉCUPÉRER UN DOSSIER DANS SA CHAMBRE. DONNE-NOUS LA CLEF.

AH ? BON... IL A GARDÉ LA SIENNE, MAIS J'AI UN DOUBLE POUR LE MÉNAGE, QUAND IL ME PRÉVIENDRA DE SON RETOUR.

TU CONNAIS LE CHEMIN...

NE T'EN FAIS PAS !

TU ES UN SACRÉ MENTEUR, DIDIER ! C'EST PAS BEAU DE ROULER UN FRÈRE DANS LA FARINE COMME TU L'AS FAIT !

LA GENTILLESSE DE LEROUX N'A D'ÉGALE QUE SA CURIOSITÉ. LE ROI DU COMMÉRAGE !

CETTE ODEUR...

SEIGNEUR ! QUELLE HORREUR !

36

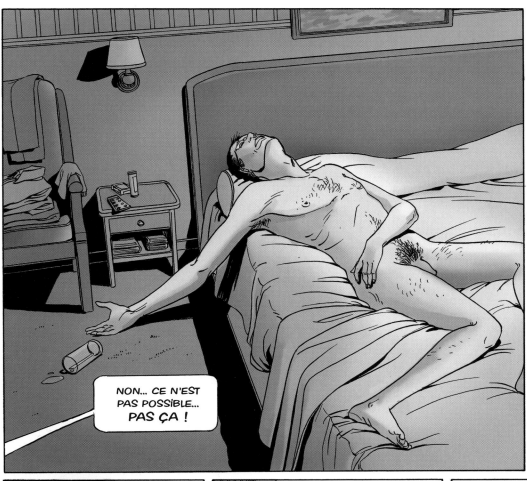

NON... CE N'EST PAS POSSIBLE... PAS ÇA !

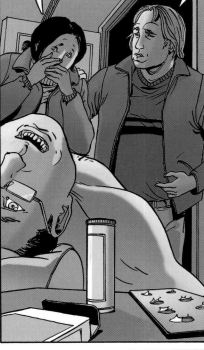

MON DIEU, IL... IL S'EST SUICIDÉ... C'EST DE MA FAUTE ! IL ÉTAIT DÉPRESSIF DEPUIS NOTRE RUPTURE, ET...

JE T'EN PRIE, JOSIANE, SORS D'ICI. ÇA NE SERT À RIEN DE LE REGARDER DANS CET ÉTAT.

J'AI ENTENDU CRIER. QU'Y A-T-IL ?

LÀ DANS LA CHAMBRE...

MERDE ! MERDE ! MERDE ! FRANCIS ! QUAND EST-IL REVENU ? JE NE L'AI PAS VU...

TU M'AS BIEN DIT QU'IL AVAIT SA CLEF ?

OUI. MAIS IL DEVAIT M'APPELER LA VEILLE DE SON RETOUR... IL A AVALÉ TOUTES CES SALOPERIES ?

C'EST SANS DOUTE CE QUE DIRA L'AUTOPSIE. PRÉVIENS LA POLICE, MARC. MAINTENANT.

TU AS RAISON. LA POLICE, BIEN SÛR... OH, MERDE DE MERDE DE MERDE !

COMME IL DEVAIT ÊTRE MALHEUREUX. C'EST SI BÊTE... IL N'AVAIT QU'À ME TÉLÉPHONER ET...

CHUT ! TU N'Y ES POUR RIEN, JOSIANE. POUR RIEN, JE TE LE JURE.

CE MÊME JOUR, LE SOIR...

...NE CORRIGEZ RIEN, SURTOUT, DIDIER ! NE CHERCHEZ NI LA PIERRE NI LE FRÈRE !

ADIEU, MON TRÈS CHER FRÈRE. VOTRE AMI QUI S'EST PERDU, FRANCIS.

JE T'AI TOUT DIT, JOSIANE. TOUT CE QUE JE SAIS. JE SUIS DÉSOLÉ... J'AI LAISSÉ FRANCIS JOUER AVEC LE FEU ET JE ME SENS COUPABLE DE SA MORT.

ALORS, IL NE SE SERAIT PAS SUICIDÉ ? ET, SI JE TE SUIS BIEN, CE SERAIT... NON ! C'EST IMPENSABLE !

LE CRIME A ÉTÉ MAQUILLÉ EN SUICIDE. TU AS VU, LES INSPECTEURS N'ONT TROUVÉ AUCUN DOCUMENT DANS SA CHAMBRE. SES CARNETS ROUGES ONT ÉTÉ SUBTILISÉS.

POURQUOI L'AVOIR ENTIÈREMENT DÉSHABILLÉ ?

DÉSHABILLÉ ET PROBABLEMENT LAVÉ ! POUR QU'IL NE DEMEURE AUCUN INDICE QU'UN LABO DE LA POLICE AURAIT PU ANALYSER.

CE N'ÉTAIT QU'UN HISTORIEN... IL FAISAIT SIMPLEMENT SON BOULOT.

JUSTEMENT, IL S'EST APPROCHÉ TROP PRÈS DE LA VÉRITÉ, DE CE SECRET QUE L'ÉGLISE DÉFEND DEPUIS DES SIÈCLES.

SES LETTRES NE DONNENT PAS BEAUCOUP D'INFORMATIONS.

ROME, JÉRUSALEM, TROYES, PUIS ENFIN REIMS ! LE CACHET DE SON DERNIER ENVOI NOUS L'INDIQUE. C'EST CERTAINEMENT EN CHAMPAGNE QU'IL A ÉTÉ PRIS, À EN JUGER PAR LA DATE, REGARDE...

OUI, LE PLI A ÉTÉ POSTÉ À LA GARE DE REIMS, IL N'Y A QUE DEUX JOURS.

TU ES ÉPUISÉE. PRENDS MA CHAMBRE ET ESSAIE DE DORMIR.

LA SITUATION EST ÉQUIVOQUE, TU NE TROUVES PAS ? FRANCIS EST À PEINE MORT QUE JE DORS CHEZ TOI !

38

40

NE TE SOUCIE PAS DES APPARENCES. J'AIMAIS FRANCIS, JOSIANE. JE L'AIMAIS VRAIMENT BEAUCOUP.

MOI AUSSI, DIDIER. À MA MANIÈRE...

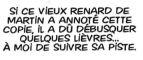

DIDIER MOSÈLE ENTREPRIT L'ÉTUDE DU TESTAMENT DU FOU. POUR S'AIDER, IL SORTIT SES DICTIONNAIRES DE LATIN AINSI QU'UNE BIBLE DE LA PROVINCE DE HAINAUT, ÉCRITE PAR UNE RELIGIEUSE CISTERCIENNE.

SI CE VIEUX RENARD DE MARTIN A ANNOTÉ CETTE COPIE, IL A DÛ DÉBUSQUER QUELQUES LIÈVRES... À MOI DE SUIVRE SA PISTE.

GAGNÉ ! IL A MÊME FAIT LA TRADUCTION DES VERS EN LATIN...

"NAÎTRE DU DÉSORDRE DÉMESURÉ, L'ORIENTALE LUMIÈRE, SAINT-ESPRIT À LA MATIÈRE MÊLÉE."

EN CLAIR, ÇA DONNERAIT : "LA LUMIÈRE D'ORIENT NAÎTRA DU CHAOS INFINI, LE SAINT-ESPRIT MÊLÉ À LA MATIÈRE"... MMMH... ÇA SENT L'APOCALYPSE À PLEIN NEZ ! REMETTONS LA SUITE EN FORME.

Moi, Jean, Frère par les Douze
À Patmos exilé pour l'amour de Jésus
Le Secret j'ai conservé
Le Frère, Premier Fils de la Lumière
et de l'Architecte,
À moi se présenta ∎

Il était vivant et non mort
Tel que le peuple l'avait pensé
Trois baisers il me donna
Blancs sa tête et ses cheveux
Comme de la laine blanche
Comme de la neige ∎

PENDANT CE TEMPS, AU VATICAN...

JE CROIS QUE C'ÉTAIT UNE ERREUR... NOUS N'AURIONS PAS DÛ ATTENTER À LA VIE DE CE MOSÈLE...

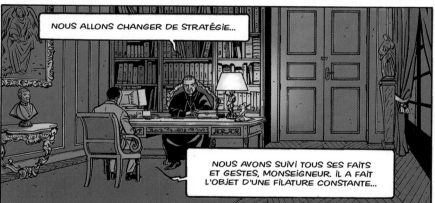

NOUS ALLONS CHANGER DE STRATÉGIE...

NOUS AVONS SUIVI TOUS SES FAITS ET GESTES, MONSEIGNEUR. IL A FAIT L'OBJET D'UNE FILATURE CONSTANTE...

NOUS N'AVONS PAS TROUVÉ CE QUE NOUS CHERCHIONS AUPRÈS DE FRANCIS MARLANE, LAISSONS MOSÈLE REMONTER LA PISTE... IL SERA TEMPS, ALORS, D'INTERVENIR AU MOMENT OÙ IL ATTEINDRA SON BUT.

S'IL Y PARVIENT !

ESPÉRONS-LE ! LES GARDIENS DU SANG FERONT LE NÉCESSAIRE ET... ET LE SECRET SERA DE NOUVEAU SCELLÉ À TOUT JAMAIS.

MOSÈLE A CHERCHÉ DE L'AIDE AUPRÈS DE CE VIEIL AVOCAT, HERTZ. ET PUIS IL Y A LA FEMME DE MARLANE.

JE SAIS. AH, CES FRANCS-MAÇONS ! ILS NOUS ONT TOUJOURS CRÉÉ DES PROBLÈMES. TOUS NOS ENNUIS VIENNENT DES ROULEAUX DE LA MER MORTE...

...CES MAUDITS 4Q456-458 QUI ONT ÉVEILLÉ LA CURIOSITÉ DE MARLANE !

ET LE TESTAMENT ! JE CROYAIS QU'IL ÉTAIT...

NOUS SAVONS DÉSORMAIS QU'HERTZ DÉTIENT LE SECOND EXEMPLAIRE. NOUS AGIRONS AUSSI DE CE CÔTÉ-LÀ PLUS TARD... IL FAUT DONNER DE LA LIGNE POUR MIEUX RAMENER LE POISSON À LA BERGE.

JE DOIS VOIR LE PAPE JEAN. IL EST TRÈS BAS, EN CE MOMENT.

QUE DIEU LE PRÉSERVE !

OH, DIEU ? JE PARIE PLUS VOLONTIERS SUR LA MÉDECINE...

C'EST VOUS, DE GUILLIO ?

C'EST MOI, SAINT-PÈRE.

SORTEZ UN INSTANT, MA SŒUR... PRENEZ L'AIR DES JARDINS, CELA VOUS CHANGERA DE LA PUANTEUR QUI SE DÉGAGE DE MON CORPS.

IL A ÉTÉ DÉCOUVERT, VOTRE SAINTETÉ.

MARLANE ? C'EST DE LUI QU'IL S'AGIT... C'EST CE QUE VOUS SOUHAITIEZ, NATURELLEMENT ?

L'ENQUÊTE CONFIRMERA QU'IL ÉTAIT DÉPRESSIF, ET L'AUTOPSIE PROUVERA QU'IL S'EST DONNÉ LA MORT EN AVALANT UNE TROP FORTE DOSE DE BARBITURIQUES.

PARLEZ-MOI DE MOSÈLE...

NOUS LE GARDONS SOUS SURVEILLANCE. NOS AGENTS ONT LA CERTITUDE QUE MARLANE A COMMUNIQUÉ AVEC LUI À PLUSIEURS REPRISES. PAR CONTRE, NOUS IGNORONS À QUEL POINT DE SES RECHERCHES IL EST ARRIVÉ.

ESPÉRONS QU'IL SERA MOINS TÉMÉRAIRE QUE SON AMI...

CELA ÉVITERAIT AUX GARDIENS DU SANG D'INTERVENIR À NOUVEAU.

JE PRÉFÉRERAIS CETTE SOLUTION. VOUS AUSSI, JE SUPPOSE, DE GUILLIO ?

IL Y A UN AUTRE PROBLÈME. ET DE TAILLE ! MARTIN HERTZ !

HERTZ... OUI, BIEN SÛR ! LE FRANC-MAÇON DE LA **LOGE PREMIÈRE**...

NOUS N'AVONS AUCUNE CERTITUDE QUE CETTE LOGE EXISTE ENCORE. NOUS ENQUÊTONS À CE SUJET ACTUELLEMENT. ELLE SERAIT EN MARGE DE LA MAÇONNERIE OFFICIELLE.

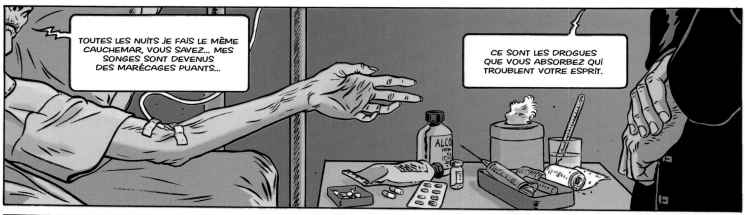

TOUTES LES NUITS JE FAIS LE MÊME CAUCHEMAR, VOUS SAVEZ... MES SONGES SONT DEVENUS DES MARÉCAGES PUANTS...

CE SONT LES DROGUES QUE VOUS ABSORBEZ QUI TROUBLENT VOTRE ESPRIT.

DE LA VASE RÉPUGNANTE... DES CORPS EN PUTRÉFACTION TENTENT DE S'EN DÉGAGER. MOI, JE LES REGARDE REVENIR À LA VIE, IMPUISSANT, PÉTRIFIÉ PAR LA PEUR...

TOUS CES MORTS SONT LES PAPES QUI M'ONT PRÉCÉDÉ ! ILS JAILLISSENT DE LA BOUE NOIRE. LEURS BOUCHES ÉNORMES DEVENUES DES TROUS OBSCÈNES HURLENT LEUR DOULEUR D'AVOIR ÉTÉ MAUDITS...

MOI, JEAN XXIV, JE COMPRENDS LEUR DÉTRESSE. JE LES ÉCOUTE ME RÉCITER TOUS LES CRIMES QU'ILS ONT ORDONNÉS, TOUS LES MENSONGES QU'ILS ONT PROFÉRÉS, TOUTES LES TRAHISONS QU'ILS ONT COMMISES !

CHAQUE NUIT, LA LONGUE LITANIE DE CES PAPES MAUDITS REPREND... J'AI DANS LE CŒUR CETTE POINTE DE GLACE QUI EST LA GRIFFE DE LA MORT ET DE LA DAMNATION ÉTERNELLE.

CHASSEZ CES ÉPOUVANTABLES IMAGES, SAINT-PÈRE. VOUS SAVEZ QUE VOUS ET TOUS VOS PRÉDÉCESSEURS ONT DÛ PRÉSERVER LE SECRET.

AH... LE SECRET ! LE SECRET SCELLÉ PAR TOUS LES PIERRE, PIE, CLÉMENT, INNOCENT... LE SECRET ENFOUI SOUS UN MONCEAU DE CADAVRES !

JE VAIS FAIRE VENIR VOTRE MÉDECIN QUI VOUS CALMERA. J'ÉTAIS JUSTE PASSÉ M'ASSURER QUE VOUS N'AVIEZ PLUS DE FIÈVRE.

JE SUIS DÉJÀ MORT. LE CARDINAL MONTESPA PIAFFE D'IMPATIENCE POUR COIFFER LA TIARE. SON ÉLECTION EST JOUÉE D'AVANCE.

ATTENDEZ, DE GUILLIO ! FAITES EN SORTE QUE NUL NE SACHE JAMAIS.

J'Y VEILLERAI, SAINT-PÈRE.

LE "JEUNE HOMME"...

OUI, SAINT-PÈRE ?

QU'IL NE PARVIENNE PAS À QUITTER SON TOMBEAU ! PAS APRÈS TOUS CES SIÈCLES. PAS MAINTENANT !

IL NE SORTIRA PAS DE TERRE. NOUS ACHÈVERONS L'ŒUVRE DU PAPE CLÉMENT. ET PUIS, QUI CROIRAIT LA VÉRITÉ ?

TROIS POINTES... ET AU CŒUR DU TRIANGLE REPOSE LE "JEUNE HOMME AU SUAIRE" !

Celui qui a du frère pris la vie
A lui usurpé la mort
Occupé la place par lors
De sa croix pleure le frère vrai
Dans son suaire venu ■

Aux Oliviers le frère mort en son suaire
A son jumeau traître fait remontrances
Et le maudire aux Siècles des Siècles
Au peuple mensonge donné
Au Secret les Douze dresser le Temple ■

De la secte crucigère
Orient et Occident naîtront ■

Dans leur litière mensongère
Maîtres de Religion traîtres seront ■

Sur trône maudit
Car celui à la mort embrassé
Charogne sera ■

TOUT CE QUE RACONTENT LES TEXTES OFFICIELS N'EST QU'UNE FOURBERIE, JOSIANE... LE TESTAMENT DU FOU EST CELUI DU JUSTE ! FOU PARCE QUE NUL N'A JAMAIS OSÉ LE CROIRE.

SON SANG ! JE L'AI TUÉ... J'AI TUÉ MON FRÈRE !

ON MARCHE, LÀ-EN DESSOUS... DANS LES OLIVIERS. EST-CE DÉJÀ LA COHORTE ? JE DIRAI AUX ROMAINS QU'IL EST MORT...

45

OUI... ILS ME CROIRONT ! JE LEUR MONTRERAI LE CORPS, ET ILS SAURONT ALORS QUE JE NE SUIS PAS LE MESSIE...

NON !!! NON... TU ES MORT !

47

"Visite l'intérieur de la Terre, et en rectifiant, tu trouveras le Frère occulte."

Fin du chapitre premier

Prochain chapitre : Le jeune homme au suaire

Je tiens particulièrement à remercier :

René Guerreau et Eli Allache qui ont été les premiers à me parler du frère jumeau du Christ,
Alain Fleig auteur de **La Terre des Croisades**, Bruno Lafille auteur des **Templiers en Europe**,
Robert Ambelain pour sa thèse **Jésus ou le mortel secret des Templiers**,
Norman Golb auteur de **Qui a écrit les Manuscrits de la Mer Morte ?**
et les frères de la Loge «La Loi d'action».
Sans le savoir, à leur manière, ils ont tous initié cette série, et je leur en suis reconnaissant.

Le Triangle Secret est une œuvre de fiction bâtie sur l'interprétation de quelques faits historiques
qui m'ont influencé.

Le Triangle Secret n'est qu'un récit romanesque, et je prie le lecteur de ne l'aborder qu'en tant que tel.

Didier Convard